ALL AROUND Milwaukee

Alrededor de todo Milwaukee

A Kid's Tour Guide to the City

Written and Illustrated by
Milwaukee Area
Creative SHARP Students

Photography by
John Ruebartsch

Book Design by
Joanne Lensink

Spanish Translation by
Maria Karos, Noelia Arias-Garcia

Acknowledgments

A heartfelt thank you goes to the Fleck Foundation as a major funder of
All Around Milwaukee.

We acknowledge with gratitude additional funding provided by:
Richard and Ethel Herzfeld Foundation
Greater Milwaukee Foundation's Mary L. Nohl Fund
Wisconsin Arts Board and Milwaukee Arts Board

A special thank you to the Creative SHARP Presentations, Inc. Board of Directors.

All Around Milwaukee is a positive collaboration between twenty-four elementary schools and two middle schools that included team efforts from students, teachers, administrators, many parents and community supporters. While it is not possible to thank everyone who helped make *All Around Milwaukee* become a reality, there are some people who should be recognized: Time Warner Cable for filming at each school and televising *All Around Milwaukee*; Lynn Doucette and the eighth grade students at Steffen Middle School for collaborating with Creative SHARP Presentations, Inc. on this project; Forest Home Avenue School for their extra participation under the direction of Sara Marquez, principal; Messmer Preparatory Catholic School students for additional art work; Jan Lennon and Patricia Ellis, Ed.D. for English editing; and Doris Maki for Spanish editing.

Creative SHARP Presentations, Inc.

Creative SHARP Presentations, Inc. is a non-profit 501(c)(3) educational organization.

Published by Creative SHARP Presentations, Inc.
750 North Lincoln Memorial Drive, Suite 311
Milwaukee, Wisconsin 53202-4018 U.S.A.
www.creativesharp.org

ISBN 0-9770816-2-1

Printed in U.S.A.

10 9 8 7 6 5 4 3 2 1

This book is dedicated to all the students who have contributed essays and illustrations for *All Around Milwaukee.* Thank you for your inspiration and creativity.

The following schools participated in the 2005-2006 programs and contributed their work to the creation of this book. The extra efforts of students, teachers and administrators are appreciated.

Blessed Sacrament School
Dr. Benjamin Carson Academy of Science
Clarke Street School
Eighty-First Street School
Emmaus Lutheran School
Forest Home Avenue School
Greenfield Elementary School
Hmong American Peace Academy
Holy Wisdom Academy

Irving J. Seher School
La Causa Charter School
Lloyd Street Global Education School
Messmer Preparatory Catholic School
Milwaukee College Preparatory School
Milwaukee Urban League Academy of Business and Economics
New Berlin Center Elementary School
Notre Dame Middle School

Poplar Creek Elementary School
Prospect Hill Elementary School
St. Bernard Parish School
St. Martini Lutheran School
Steffen Middle School
Ceria M. Travis Academy
Urban Day 12th Street School
Urban Day 24th Street School
Victory School for the Gifted and Talented

The Literacy and Art Connection

Young people's participation in Creative SHARP Presentations, Inc. provides them with opportunities to develop their reading, writing, oral communication, creative thinking, and problem-solving skills. The development and nurturing of creativity through the use of the visual arts, art history and artist-in-residence programs has a positive and lasting impact.

Students who participate in some form of the arts are more likely to:

- be recognized for their academic achievement.
- participate in a math and science fair.
- win an award for writing an essay or poem.
- read for pleasure.

In addition, arts education programs:

- help all students develop a deeper appreciation and understanding of the world.
- help students develop pride in a job well done and develop a positive work ethic.

A recently completed third party study confirmed the program's success. Creative SHARP students experienced a 40% to 70% increase in vocabulary and writing skills over the course of just one year and received significantly higher post-test scores than their peers.

Our goal is to provide creative learning experiences that build confidence, self-esteem and a greater awareness of the world. Through the use of the visual arts and art history, teachers and students are educated and engaged in an innovative and affordable program that strengthens basic learning skills. It is the vision of Creative SHARP Presentations, Inc. that *All Around Milwaukee* be utilized toward this goal. Enjoy the Tour!

Marlene M. Doerr
Creative SHARP Presentations, Inc.

Essays have been chosen, edited, combined or enhanced to best showcase the students' work and to best tell the stories of the sites.

Holocaust Museum: A building containing visual displays to educate the public and to remember the victims of racial injustice suffered by people of African heritage.

America's Black Holocaust Museum

When I visited the Black Holocaust Museum, I saw that this museum was built to bring peace and understanding to all races. Dr. James Cameron founded this museum in 1988, after living during the Black Holocaust himself. The museum that he founded was created to help people learn about those hard times.

After looking at the museum for a couple of minutes, I noticed how hard it was, as a black, to live during slavery and after slavery. James Cameron was blamed for killing a man he had worked for. He was later freed for this wrong **accusation**. After all this ended, **segregation** became a bigger threat to Cameron. He wanted segregation to end in Milwaukee, which led to him founding this museum.

As I walked through the museum, some of the exhibits really caught my attention. The written **articles**, photos and interesting **artifacts** showed what happened during the time of slavery and thereafter. Some of the exhibits include: A Time of Terror, Humble Beginnings, Education and Enlightenment, A Time of Healing, and Presidential Recognition. These exhibits really helped me see the suffering the people of that time went through.

Jobs you can get at the museum: cashier, custodian, director.

Museo del Holocausto: Edificación que contiene una muestra visual para educar al público y recordar a las víctimas de la injusticia racial sufrida por personas con herencia africana.

Museo del Holocausto Afro-Americano

Cuando visité el Museo del Holocausto Afro-Americano, ví que este museo fue construído para brindar paz y entendimiento entre todas las razas. El Doctor James Cameron fundó este museo en 1988, después de haber vivido la experiencia del período del Holocausto Afro-Americano él mismo. Este museo fue creado para enseñarles a las personas sobre aquellos tiempos difíciles.

Después de observar el museo por un par de minutos, noté lo duro que fue vivir como afro-americano durante la esclavitud y después de la esclavitud. James Cameron fue acusado de asesinar a un hombre para el cual trabajaba. Luego fue liberado de esta falsa **acusación**. Después de terminado todo esto, la **segregación** se convirtió en una amenaza mayor para Cameron. El quizo que la segregación terminara en Milwaukee, lo que le llevó a fundar este museo.

Mientras recorría el museo, algunas de las obras de arte realmente capturaron mi atención. Los **artículos** escritos, las fotografías y algunos **artefactos** interesantes muestran lo sucedido durante el tiempo de la esclavitud y después de que se terminó. Algunos de los temas de las exhibiciones son: "Tiempo de Terror", "Comienzo Humilde", "Educación y Progresismo", "Tiempo de Sanación" y "Reconocimiento Presidencial". Esta exhibición realmente me ayudó a ver el sufrimiento por el cual la gente pasó en aquel entonces.

Empleos que puedes encontrar en el museo: cajero, custodio, director.

Basilica: A church with a historical importance which contains outstanding art and architecture, and a place where religious people may make pilgrimages.

Basilica of St. Josaphat

St. Josaphat's Basilica is an enormous church located on the south side of Milwaukee. It has many historical stories which are joyful and some that are sad. This beautiful church has many paintings of God, the apostles, saints, angels, and many famous Polish heroes.

There is a wonderful dome on top of the basilica, and this dome can be opened on hot summer days, which lets the heavens stare down at you. Dizzy is the first feeling you get when you look up at the dome top.

This church has had many eventful experiences, one of which is that the original basilica burned and had to be rebuilt in the late 1800s. This led to the purchase of a **demolished** Chicago Post Office. About 200,000 tons of that post office building material were shipped to Milwaukee by way of nine flatbed trains to restore the basilica.

After this new basilica was built, many Italian artists from Rome came to Milwaukee to paint the inside of the basilica. Many beautiful murals and paintings were created by these Romans. In 1986, the dome on top of the basilica was damaged by a severe thunderstorm.

After just one month, the church had raised enough money to pay for the fixing of the leak. This is a beautiful sight to see in Milwaukee, and it is a very special to many Christians.

Jobs you can get at the basilica: administrative assistant, custodian, musician, youth director.

Basílica: Iglesia con importancia histórica que cuenta con arte y arquitectura excepcional y un lugar donde personas religiosas puedan hacer peregrinajes.

La Basílica de San Josaphat

La Basílica de San Josaphat es una iglesia enorme localizada en la zona sur de Milwaukee y tiene muchos relatos históricos, algunos alegres y otros tristes. Esta hermosa iglesia tiene numerosas pinturas de Dios, los apóstoles, santos, ángeles y otros héroes famosos de Polonia.

Existe una maravillosa bóveda en lo alto de la basílica que se puede abrir en los días calurosos de verano y que le permite al cielo observarnos desde arriba. Un mareo es lo primero que se siente al mirar hacia lo alto de la bóveda.

Esta iglesia ha tenido varias experiencias significativas, una de ellas fue cuando la basílica se incendió y tuvo que ser reconstruída a fines bel siglo XVIII. Esto condujo a la compra de materiales de una oficina de correos en Chicago que había sido **demolida.** Se trasladaron aproximadamente 200,000 toneladas de materiales de este edificio para restaurar la basílica por medio de nueve bagones de tren.

Después de que se construyó la nueva basílica, muchos artistas italianos provenientes de Roma vinieron a Milwaukee para pintar el interior de la basílica. Muchos murales y pinturas hermosas fueron creados por estos romanos. En 1986, la bóveda en lo alto de la basílica fue dañada por una tormenta fuerte.

Al cabo de un mes, la iglesia recaudó suficiente dinero para pagar los arreglos de las goteras. Este es un lugar hermoso para visitar en Milwaukee y es muy especial para muchos cristianos.

Empleos que puedes encontrar en la basílica: asistente administrativo, custodio, músico, director religioso.

Children's Museum: A museum designed for young girls and boys.

Betty Brinn Children's Museum

One day while walking with my best friend, Cheyenne, we saw the Betty Brinn Museum at 929 East Wisconsin Avenue. We knew we couldn't get in for free, so we walked back home and got $5 for each of us. When we got back to the museum, we were happy to see that it was open from 9 a.m. to 5 p.m. Monday through Saturday, and noon to 5 p.m. on Sunday.

We went in, and I said, "Cheyenne, what are you looking at?"

Cheyenne questioned, "Who is that in the picture?"

"That's Betty Brinn," I said. "She lived in an **orphanage** and had a dream to help as many kids as she could when she grew up. She started building this museum in 1992."

Cheyenne said, "Help kids? Isn't that what you and I want to do, Kimberly? Let's go in and see all the wonderful things they have for us!"

We spent the afternoon learning about the human body, trade, gravity and **momentum,** and sound production. We had so much fun! We couldn't believe the whole afternoon passed by so quickly. I decided it would be fun to be a curator and create more fun and exciting things to do. Cheyenne wants to be a museum educator. We both would be very excited to see you the next time we are at the museum.

Jobs you can get at the museum: curator, educator.

Museo para niños: Museo diseñado para niñas y niños de corta edad.

Museo para niños Betty Brinn

Un día mientras caminaba con mi amiga Cheyenne, vimos el Museo Betty Brinn, ubicado en la 929 East Wisconsin Avenue. Sabíamos que no podíamos entrar gratis así que fuimos de regreso a casa y obtuvimos $5 para cada una. Cuando regresamos al museo nos alegramos de ver que está abierto de 9:00 am a 5:00 pm de lunes a sábados, y de 12:00 pm a 5:00 pm los domingos.

Entramos y le dije: "¿Qué estas mirando Cheyenne?"

Cheyenne preguntó: "¿Quién aparece en esa foto?"

"Esa es Betty Brinn" le contesté. "Ella vivió en un **orfanato** y tuvo el sueño de ayudar a tantos niños como le fuera posible al crecer. Ella empezó a construir este museo en 1992".

Cheyenne dijo: "¿Ayudar a los niños? ¿Acaso no es eso lo que tu y yo deseamos hacer, Kimberly? ¡Entremos a ver todas las cosas maravillosas que tienen para nosotros!"

Pasamos la tarde aprendiendo acerca de las partes del cuerpo humano, el comercio, la ley de la gravedad, la **velocidad adquirida** y la producción de sonido. ¡Nos divertimos muchísimo! No podíamos creer que la tarde pasara tan deprisa. Decidí que sería divertido ser director y crear más cosas divertidas y emocionantes para hacer. Cheyenne quiere ser una maestra del museo. Las dos estaríamos encantadas de verte la próxima vez que estemos en el museo.

Empleos que puedes encontrar en el museo: director, educador.

Sculpture Garden: *Statues and other objects made of stone and metal placed in a garden setting.*

Bradley Sculpture Garden

The Bradley Sculpture Garden is very special to Milwaukee. Lynde and Harry Bradley founded it in the 1930s. The Bradleys loved to collect art and needed a place to put sculptures so they hired a landscape artist to turn their 40 acres of land into a sculpture and **botanical** garden with little lakes, wooded paths and a meadow. The land was developed throughout the 1930s.

After Mr. Bradley died in 1965, Mrs. Bradley continued to develop the gardens that her husband had started. The Bradley Gardens have become home to 55 three-dimensional art sculptures. A few of the internationally known artists that are represented are: Henry Moore, Mark DiSuvero, Isamu Noguchi and Beverly Pepper. The Bradley Sculpture Garden is a mixture of nature and man-made artwork. Mr. Bradley was responsible for the botanical garden, but Mrs. Bradley's love of art and sculpture has made much of the garden as it is now.

Jobs you can get at the gardens: caretaker, landscape designer.

Jardín de Esculturas: Estatuas y otros objetos hechos de metal y piedra colocados en un jardín.

Jardín de Esculturas Bradley

El Jardín de Esculturas Bradley es muy especial para Milwaukee. Lynde y Harry Bradley fundaron este jardín en la década de 1930. A los Bradley les gustaba coleccionar arte y necesitaban un lugar para poner sus esculturas así que contrataron a un artista diseñador de jardines para que convirtiera sus 40 acres de tierra en un jardín **botánico** y de esculturas con pequeños lagos, senderos de madera y un prado. El terreno tuvo su desarrollo durante la década de 1930.

Después de la muerte del señor Bradley en 1965, su esposa continuó desarrollando el jardín que su esposo había empezado. El Jardín Bradley se ha convertido en el hogar de 55 esculturas de arte tridimensional. Algunos de los artistas internacionalmente conocidos son: Henry Moore, Mark DiSuvero, Isamu Noguchi y Beverly Pepper. El Jardín de Esculturas Bradley es una mezcla de naturaleza y obras de arte hechas por el hombre.

El señor Bradley fue el responsable del jardín botánico, pero el amor de la señora Bradley por el arte y las esculturas han hecho del jardín lo que hoy es.

Empleos que puedes encontrar en el jardín: cuidador, diseñador de jardín.

Science: A system of knowledge about the nature of things in the world.

Discovery World at Pier Wisconsin-part 1

Discovery World's new home is at Pier Wisconsin. It is a very large and **prominent** building (120,000 square feet) and has exciting **interactive** exhibits, Great Lakes freshwater and saltwater aquariums, Rockwell Automation Dream Machine, a Human Genome exhibit, another exhibit that explores the principles of energy, a Pilot House, gift shop, café, high-definition theaters and much more. This is a place built to help us think more clearly about the future.

The building sits near our beautiful Lake Michigan and calls attention to the water. It focuses on **technological** advances and has so much creativity and imagination that I know will foster lots of learning. I can't wait for you to visit this new amazing site. New visitors will want to see and visit this new positive place in Milwaukee.

Jobs you can get at Discovery World: aquarist, director, educator, exhibit designer, receptionist, writer.

Ciencia: *Un sistema de conocimientos acerca de la naturaleza de las cosas en el mundo.*

Discovery World en el Muelle de Wisconsin-parte 1

La nueva casa de Discovery World es en el Muelle de Wisconsin. Es un edificio muy grande y **prominente** (120,000 pies cuadrados) y tiene interesantes exhibiciones **interactivas**, acuarios de los Grandes Lagos de agua dulce y de agua salada, la máquina de sueños de Rockwell Automation, una exhibición del Genoma Humano, otra exhibición que explora los principios de la energía, una casa piloto, tienda de regalos, un café, teatros de alta definición y mucho más. Este es un lugar construído para ayudarnos a pensar más claramente acerca del futuro.

El edificio está situado cerca de nuestro hermoso Lago Michigan y le da relevancia a sus aguas. Se enfoca en avances **tecnológicos** y tiene tanta creatividad e imaginación que sé que va a nutrir tus conocimientos. No veo las horas de que visites este nuevo sitio impresionante. Muchas personas querrán ver y visitar este lugar nuevo y positivo en Milwaukee.

Empleos que puedes encontrar en el Discovery World: acuarista, director, educador, diseñador de exhibicones, recepcionista, escritor.

Ecology: The science that studies the relations between living things and all of the things and conditions surrounding and affecting them.

Discovery World at Pier Wisconsin-part 2

Pier Wisconsin is about the Great Lakes and how they affect the global **hydrosphere**. It is a place to help our community become more educated about water. During the warmer months it also has a spectacular schooner moored nearby called the *Denis Sullivan*. There are public day sails available. There will also be a hands-on macro model of the Great Lakes, complete with water and animals. The Lakeshore State Park office is also there, and much more.

Scientists that study the Great Lakes will teach us about technology and science. I love Pier Wisconsin because we can learn so many new things. Imagine how much Pier Wisconsin will help change the world we live in today. I think that now Lake Michigan is not just somewhere that kids go to look at water, but it is an enjoyable place for kids and adults to visit and learn together.

Jobs you can get at Pier Wisconsin: cabin crew, captain, cashier, oceanographer, security guard.

Ecología: Ciencia que estudia la relación entre los seres vivos y todas las cosas y condiciones que los rodean y los afectan.

Discovery World en el Muelle de Wisconsin-parte 2

El Muelle de Wisconsin se trata de los Grandes Lagos y como estos afectan la **hidrósfera** global. Es un lugar para ayudar a educar a la comunidad sobre el agua. Durante los meses más cálidos tienen una goleta espectacular amarrada cerca del lugar que se llama *Denis Sullivan*. Hay paseos en barcos disponibles para el público todos los días. También habrá una macro maqueta de los Grandes Lagos con agua y animales para poder hacer ejercicios prácticos. La oficina del parque estatal Lakeshore también está ubicada aquí, y mucho más.

Los científicos que estudian los Grandes Lagos nos enseñarán acerca de tecnología y ciencia. Me encanta el Muelle de Wisconsin porque podemos aprender muchas cosas nuevas. Imagina cuantas cosas este lugar va a ayudar a cambiar en el mundo que vivimos hoy. Ahora pienso que el Lago Michigan no es sólo un lugar donde los niños van a mirar el agua, sino que es un lugar en donde juntos, niños y adultos, pueden visitar y aprender.

Empleos que puedes encontrar en el Muelle de Wisconsin: miembro de tripulación, capitán, cajero, oceanógrafo, guardia de seguridad.

Airport: A place where aircraft can take off and land.

General Mitchell International Airport

Mitchell International Airport is an important airport in Milwaukee. The planes carry mail, medicine, food, goods, and other products. Providing transportation for people is the most important job that the airport does.

On December 29, 1879, William "Billy" Mitchell was born into a prominent Milwaukee family. At age 19 William joined the military, and he fought in many wars. In 1941, to honor General William "Billy" Mitchell, the city changed the airport's name from Butler Airfield, to Mitchell Field and now General Mitchell International Airport.

Passengers must check in, go through security, and then board planes. A cool thing at the airport is the moving walkway in the airport terminal building. The airport has many gates, which are the places that passengers wait for their planes. If you get hungry waiting for your plane, you can walk over to one of the fabulous restaurants. Creative SHARP Presentations has two beautiful **murals** hanging there that were made by over 1,000 students.

Jobs you can get at the airport: air traffic controller, baggage handler, cashier, custodian, pilot, security guard.

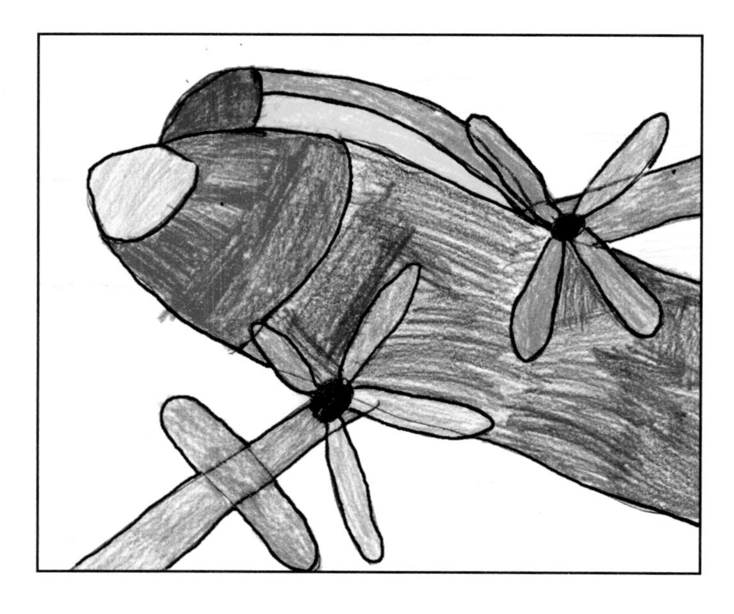

Aeropuerto: *Sitio donde los aviones pueden despegar y aterrizar.*

Aeropuerto Internacional General Mitchell

El Aeropuerto Internacional General Mitchell es un aeropuerto muy importante en Milwaukee. Los aviones llevan correo, medicina, comida, bienes y otros productos. La tarea más importante para el aeropuerto es proveer transportación para pasajeros.

El 29 de diciembre de 1879, William "Billy" Mitchell nació en una familia prominente de Milwaukee. A la edad de 19 años William ingresó al ejercito y peleó en muchas guerras. En 1941, para honrar al General William "Billy" Mitchell, la cuidad le cambió el nombre al aeropuerto de Butler Airfield a Mitchell Field y ahora a Aeropuerto Internacional General Mitchell.

Los pasajeros deben registrarse, pasar por seguridad y abordar el avión. Una cosa muy chévere en el aeropuerto es el corredor eléctrico en la parte de las terminales del aeropuerto. El aeropuerto tiene varias salas en donde los pasajeros esperan sus vuelos. Si te da hambre esperando tu vuelo puedes caminar hacia uno de los fabulosos restaurantes. Creative SHARP tiene dos **murales** bellísimos colgados allí que fueron hechos por más de mil estudiantes.

Empleos que puedes encontrar en el aeropuerto: control de tráfico aéreo, maletero, cajero, custodio, piloto, guardia de seguridad.

Park: An area of land in or near a city with trees, lawns, benches and other features where people can come, rest and enjoy themselves.

Grant Park and Seven Bridges Trail

One day in Grant Park, we were playing soccer. On our way to the park, where our soccer game was being held, we got lost but found zillions of trees and a hidden waterfall. Behind the waterfall was a cave. From the soccer fields you can see the sandy shores of Lake Michigan. There are bridges, tennis courts, baseball diamonds, and a golf course at the park. There is also an **expansive** field to take dogs for walks.

Hiking trails surround the massive park, along with campgrounds, picnic areas, and a food court that is in one of the old farmhouses. The Seven Bridges Hiking Trail has been noted as the best trail system in the country.

Grant Park was founded in 1910. The Fowle family built their house there in 1892. The Victorian-style clubhouse was part of the original Fowle mansion.

Amazingly, we won our soccer game and spent a relaxing afternoon at Grant Park. I was glad that I was able to spend some of my time at the beautiful park that day. I can't wait until we can play there again.

Jobs you can get at the park: caddy, greenskeeper, park manager.

Parque: Área de tierra dentro o cerca de la ciudad con árboles, césped, bancos y otras características donde la gente puede ir a descansar y disfrutar de la naturaleza.

El Parque Grant y el Sendero de los Siete Puentes

Un día estábamos jugando fútbol en el Parque Grant. Camino al parque donde se realizaría nuestro juego nos perdimos pero encontramos cientos de árboles y una cascada escondida. Detrás de la cascada había una cueva. Desde las canchas de juego se pueden ver las orillas arenosas del Lago Michigan. En este parque encontrarás puentes, canchas de tenis, canchas de béisbol y un campo de golf. También hay un **extenso** terreno para sacar perros a pasear.

El parque está rodeado por senderos para cominar, zonas de camping, áreas para hacer picnics, y un patio de comidas ubicado en una de las casas antiguas del lugar.

El Sendero de los Siete Puentes ha sido reconocido como el mejor sistema de senderos para caminar en el país.

El Parque Grant fue fundado en 1910. La familia Fowle construyó su casa ahí en 1892. La casa club estilo victoriano fue parte de la mansión original de los Fowle.

Sorprendentemente, ganamos el partido de fútbol y pasamos una tarde relajada en el Parque Grant. Me alegré de haber podido pasar parte de mi tiempo en este hermoso parque aquel día. Me gustaría muchísimo volver a jugar allí nuevamente.

Empleos que puedes encontrar en el parque: asistente de juego (golf), cuidador de la vegetación, director del parque.

Motorcycle: A kind of very heavy bike that is run by a gasoline engine.

Harley-Davidson Motor Company

Harley-Davidson Motor Company is known around the world for its motorcycles. Two friends, William Harley and Arthur Davidson, started the company, which was founded in 1901. They used their skills in **engineering** and their friendly personalities to start the business. They sold their first bike a long time ago, and it looked like a bike with a small motor attached.

Today, the company has some of the leading models in the world. You can watch workers spray paint and build the bikes. You can learn more about how the bikes work, and you can see bikes up close. At the company, you can also learn more about the **founders** and the fact that they started the business in a little wooden shack.

Many people use their bikes for work and recreation. Harley bikes have been used in wars and by the police in addition to riding just for fun. Harley-Davidson motorcycles are really cool. It is fun to visit the factory to learn more.

Jobs you can get at Harley-Davidson: assembly worker, engineer, lawyer.

Motocicleta: *Es una clase de bicicleta pesada que anda con motor de gasolina.*

La Compañía Harley-Davidson Motor

La Compañía Harley-Davidson Motor es conocida alrededor del mundo por sus motocicletas. Dos amigos, William Harley y Arthur Davidson, iniciaron la compañía, la cual fue fundada en1901. Ellos utilizaron sus habilidades en **ingeniería** y sus personalidades amigables para empezar esta empresa. Vendieron su primera motocicleta hace mucho tiempo y se veía como una bicicleta con un pequeño motor atado.

Hoy la compañía cuenta con algunos de los modelos líderes a nivel mundial. Allí puedes observar a los trabajadores construyendo y pintando con spray las motocicletas. Puedes aprender más sobre el funcionamiento de las motos y verlas de cerca. En la compañía también puedes aprender más acerca de sus **fundadores** y el hecho de que empezaron su empresa en una pequeña casita de madera.

Muchas personas usan sus motocicletas para ir al trabajo y para recreación. Las motocicletas Harley han sido muy utilizadas en guerras y por la policía, además de montarlas sólo por diversión. Las motocicletas Harley-Davidson son chéveres. Es divertido visitar esta fábrica para aprender más.

Empleos que puedes encontrar en la Harley-Davidson: ensambladores, ingenieros, abogados.

Ferry: A boat used for taking people or cars across a stretch of water.

Lake Express Ferry

On June 1, 2004, the Lake Express Ferry found its place in history. It connects Milwaukee to Muskegon. In the past, another ferry called the Clipper served a similar purpose. The Clipper Ferry was old, slow and finally went out of business.

Lubar and Co. owns the Lake Express Ferry. The ferry weighs 148 tons and is 192 feet long and 57 feet wide. The ferry is blue and white, the colors of the sky and water. The ferry has twin hulls and a jet engine, and it is built like a **catamaran.**

The Lake Express is special to Milwaukee because it is the city's first and only high speed ferry. It makes three round trips daily and crosses Lake Michigan in two and one-half hours. Many people just like to visit each city and enjoy the ferry ride.

The new Lake Express Ferry can hold 46 cars, 12 motorcycles and 248 people.

Jobs you can get at the ferry: cabin crew, captain, deckhand, first mate, ticket seller.

Transbordador: Barca utilizada para cruzar a personas o carros por un estrecho de agua.

Transbordador Lake Express

El 1 de Junio del 2004, el Transbordador Lake Express encontró su lugar en la historia. Este conecta a Milwaukee con Muskegon. En el pasado otro transbordador llamado The Clipper sirvió con un propósito similar. El Transbordador Clipper era viejo, lento y finalmente quedó fuera de servicio.

Los dueños del Transbordador Lake Express son Lubar y Cia. El transbordador pesa 148 toneladas y tiene 192 pies de largo y 57 pies de ancho. El transbordador es azul y blanco, los colores del cielo y el agua. Tiene cascos gemelos, un motor jet y está contruído como un **catamarán**.

El Lake Express es especial para Milwaukee porque es el primer y único transbordador de alta velocidad en la ciudad. El transbordador hace tres viajes diarios ida y vuelta y cruza el Lago Michigan en dos horas y media. Muchas personas sólo quieren visitar cada ciudad y disfrutar del paseo en el ferry. El nuevo Transbordador Lake Express tiene capacidad para 46 carros, 12 motocicletas y 248 personas.

Empleos que puedes encontrar en el transbordador: miembro del equipo de tripulación, capitán, mano de cubierta, primer oficial, vendedor de boletos.

Bakery: A place where breads, cakes and other foods are baked and sold.

Lopez Bakery on Mitchell Street

The Lopez Bakery has many characteristics that make it a great historical site. It has bakers who bake fresh rolls and cookies, and it has cake designers who decorate cakes. You can shop for those rolls, cookies and cakes while you look at all kinds of other desserts. There are **unique** things inside the bakery like displays of Mexican candies and food shaped like pyramids. Cooks are shown frying **ethnic** foods from Mexico with tons of authentic spices. There are waiters going to tables and asking people what they would like to eat. The bakery is fresh and appealing from the good smells of the foods. Since the Lopez Bakery is a Mexican bakery, a Mexican flag is flying outside as well as a sign that says Lopez Bakery in big, fancy letters. I would love to get a little taste of everything!

Jobs you can get at the bakery: baker, cashier, cook, waiter, waitress.

Panadería: Lugar donde se hornean y se venden pan, pasteles y otros alimentos.

Panadería López en la calle Mitchell

La panadería López tiene muchas características que la hacen un verdadero sitio histórico. Tiene panaderos quienes hornean bollos frescos y galletas y tiene un diseñador que decora los pasteles. Tu puedes comprar esos bollos, galletas y pasteles mientras miras toda clase de postres. Hay cosas **únicas** dentro de la panadería como una muestra de dulces mexicanos y comida en forma de pirámide. A los cocineros se les enseña como freir comida **étnica** de México con muchas especias auténticas. Hay meseras que van a las mesas preguntado a las personas qué les gustaría comer. La panadería es fresca y atractiva por los olores agradables de la comida.

Partiendo del hecho de que la panadería Lopez es una panadería Mexicana, una bandera mexicana ondea fuera del local así como también un letrero que dice Lopez Bakery en letras grandes y elegantes. ¡Me gustaría poder pobrar un poquito de todo!

Empleos que puedes encontrar en la panadería: panadero, cajero, cocinero, mesero/a.

Art Museum: A place where painting, sculpture and other forms of art are displayed.

Milwaukee Art Museum "MAM"

The Milwaukee Art Museum is big and white and looks to me like a beautiful bird! The wings open amazingly outside at certain times and for special occasions. The museum's latest addition was designed by Santiago Calatrava. We are so lucky to have this beautiful museum in Milwaukee.

We saw many marvelous paintings while we visited. Some of the artists were O'Keefe, Rothko, Warhol, Rodin, Degas, and Monet, to name just a few. I like the art museum because it has so much to see like big swords, modern art, cool jewelry and clocks. We also got to see the glass-blown **sculptures** by Chihule. My favorite painting was the *Crying Girl*. I want to visit the Milwaukee Art Museum again because I had so much fun. It was the best trip ever.

Jobs you can get at the art museum: art teacher, cashier, curator, custodian, docent, security guard.

Museo de Arte: Lugar donde se exhiben pinturas, esculturas y otras formas de arte.

Museo de Arte de Milwaukee

El Museo de Arte de Milwaukee es muy grande y blanco, y para mí ¡se parece a un hermoso pájaro! Las alas se despliegan asombrosamente hacia afuera a ciertas horas y para ocasiones especiales. La adición más reciente del museo fue diseñada por Santiago Calatrava. Somos muy afortunados de tener este hermoso museo en Milwaukee.

Vimos muchísimas pinturas maravillosas mientras visitábamos. Algunos de los artistas fueron: O'Keefe, Rothko, Warhol, Rodin, Degas y Monet, por nombrar algunos. Me gusta mucho el Museo de Arte porque tiene muchas cosas para ver, como espadas enormes, arte moderno, joyería muy chévere y relojes de pared. También pudimos ver las **esculturas** de vidrio soplado hechas por Chihule. Mi pintura favorita fue *La niña que llora*. Deseo volver a visitar el Museo de Arte de Milwaukee porque fue muy divertido. Fue el mejor viaje que haya hecho.

Empleos que puedes encontrar en el Museo de Arte: maestro de arte, cajero, director, custodio, docente, guardia de seguridad.

City Hall: A place for meetings and public gatherings regarding the city.

Milwaukee City Hall

When we entered and began to research the building's history, we found that in order to begin building, the Milwaukee Common Council called for a design contest. The Council chose a winner, Henry C. Koch, and the building was started February 24, 1894. Solomon, the famous bell's name, was left silent for many years because people thought the loud noise would harm the building. **Officials** came together and decided the bell would be rung every Fourth of July.

A very famous building, the Milwaukee City Hall has been visited by many well-known stars, artists, and mayors. The Milwaukee City Hall also has had some problems. The building caught fire in 1929 and part of the bell tower was destroyed. Since the city did not have good fire gear at that time, it took a long time to put out the fire. The damage was **widespread**. Fortunately, Milwaukee's oldest skyscraper has now been restored.

Milwaukee City Hall is a very important place. A city hall is where all the leaders of the city meet to make important decisions. Our city hall has been standing for more than a hundred years and is the center of Milwaukee's government. It is a great place to visit.

Jobs you can get at city hall: administrative assistant, city clerk, custodian, mayor.

Municipalidad: *Lugar para juntas y reuniones públicas referentes a la ciudad.*

Palacio Municipal de Milwaukee

Cuando ingresamos y comenzamos a investigar la historia del edificio, nos encontramos con la noticia de que para empezar la construcción del edificio, el Consejo Directivo de Milwaukee llamó a un concurso de diseñadores. El Consejo eligió a un ganador, Henry C. Koch, y se inició la construcción del edificio el 24 febrero de 1894. Solomon, el famoso nombre de la campana, fue mantenida en silencio por muchos años porque las personas pensaban que su tremendo sonido podía afectar la estructura del edificio. Los **oficiales** se reunieron y decidieron que la campana se tocaría cada 4 de Julio.

El Palacio Municipal de Milwaukee es un edificio famoso que ha sido visitado por muchas estrellas famosas, artistas y alcaldes. El Palacio Municipal de Milwaukee también ha tenido algunos problemas. El edificio se incendió en 1929 y parte de la torre del campanario fue destruída. Debido a que la ciudad no tenía un buen equipo de bomberos en ese tiempo, tomó mucho tiempo apagar el fuego. Los daños se **extendieron**. Afortunadamente, el rascacielos mas viejo de Milwaukee ha sido restaurado.

El Palacio Municipal de Milwaukee es un lugar muy importante. La casa municipal es donde todos los líderes de la ciudad se reunen para tomar decisiones importantes. Nuestro Palacio Municipal se ha mantenido en pie por más de cien años y es el centro del gobierno de Milwaukee. Es un lugar grandioso para visitar.

Empleos que puedes encontrar en la Municipalidad: asistente administrativo, secretario, custodio, alcalde.

Historical Society: A group that collects, preserves and makes available materials relating to the history of the Milwaukee community.

Milwaukee County Historical Society

The Milwaukee County Historical Society is an important place because it helps people understand Milwaukee's great **heritage**. The Historical Society's building was originally the Second Ward Savings Bank and was built in 1913. There are still 6 vaults in the building that people can see. At the Historical Society you can learn about the three men that founded Milwaukee. They were Solomon Juneau, Byron Kilbourn, and George Walker. Solomon Juneau was Milwaukee's first mayor.

You can see a 6-minute video on Milwaukee history at the Historical Society. There are also traveling slide **lectures** that people can see. If someone loves seeing Civil War outfits and soldiers pretending they are in a war, there is a Civil War Encampment each year at Trimborn Farm in Greendale, which the Historical Society runs. Trimborn Farm has different events each year, like German Heritage Day with German folk dancing and a vintage baseball tournament where players dress and play like in the 1860s. The Historical Society has Milwaukee history programs in the Museum too and has even had a historical one-hour boat cruise down the Milwaukee River.

Besides Trimborn Farm, the Historical Society also runs the Kilbourntown House in Shorewood, the Lowell Damon House in Wauwatosa, and the Jeremiah Curtain House in Greendale. It is really neat to walk through houses built a long time ago. If you like the past and want to learn more, you have to call the Milwaukee County Historical Society. The Historical Society has lots of exhibits that change every couple of months, but every year they have a Billy the Brownie exhibit at the holidays. They also have the Harry H. Anderson Research Library.

Jobs you can get at the Historical Society: director, historian, office manager, research librarian.

Sociedad Histórica: *Un grupo que recauda, preserva y hace disponible materiales relacionados con la historia de la comunidad de Milwaukee.*

La Sociedad Histórica del Condado de Milwaukee

La Sociedad Histórica del Condado de Milwaukee es un sitio muy importante ya que le ayuda a las personas a entender la grandiosa **herencia** de Milwaukee. El edificio de la Sociedad Histórica fue originariamente el Banco de Ahorros de la Segunda Guerra y se construyó en 1913. Todavía hay 6 bóvedas en el edificio que la gente puede ver. En la Sociedad Histórica se puede aprender sobre los tres hombres que fundaron Milwaukee. Ellos fueron Solomon Juneau, Byron Kilbourn, y George Walter. Solomon Juneau fue el primer alcalde de Milwaukee.

En la Sociedad Histórica se puede ver un video de 6 minutos a cerca de la historia de Milwaukee. También hay otro tipo de **clases** en diapositivas que la gente puede ver. Si a alguien le gusta mucho ver las vestimentas de la Guerra Civil y los soldados simulando que se encuentran en estado de guerra, hay un campamento sobre la Guerra Civil todos los años en Trimborn Farm en Greendale, que está organizado por la Sociedad Histórica. Trimborn Farm tiene eventos diferentes cada año, como por ejemplo el día de la Herencia Alemana con un baile folklórico alemán y un campeonato de béisbol a la antigua donde los jugadores se visten y juegan como en la década de 1860. La Sociedad Histórica también tiene programas sobre la historia de Milwaukee en el museo y un viaje histórico en barco de una hora por el río de Milwaukee.

Además de Trimborn Farm, la Sociedad Histórica también está a cargo de la Casa Kilbourntown ubicada en Shorewood, la casa Lowell Damon en Wauwatosa, y la casa Jeremiah Curtain en Greendale. Es realmente estupendo visitar estas casas construidas hace tanto tiempo atrás. Si te gusta el pasado y quieres aprender más, deberías llamar a la Sociedad Histórica del Condado de Milwaukee. La Sociedad Histórica tiene muchas exhibiciones y cambian cada dos meses aproximadamente, pero todos los años tiene la exhibición de Billy the Brownie para las fiestas. También tienen la Biblioteca de Investigación de Harry H. Anderson.

Empleos que puedes encontrar en la Sociedad Histórica: director, historiador, encargado de las oficinas, bibliotecario de investigación.

Zoo: A place where wild animals are kept for the public to see.

Milwaukee County Zoo

When I went to the Milwaukee County Zoo, I saw lions and tigers, and they were roaring! There were also cheetahs, leopards, and jaguars running fast inside their exhibits, and there were wolves, coyotes, and foxes sleeping in the shade. When they looked at me with their scary eyes, they made me want to hurry to the next exhibit. At the next exhibit, I saw twin seals.

At the zoo, we got to see the first female polar bear. When visiting the tall blonde giraffes, I noticed they were eating the leaves off the tops of the trees.

Some of the animals I enjoyed seeing the most at the Milwaukee County Zoo were the monkeys climbing and jumping from branch to branch in the trees. The cutest animals in the zoo were the two baby joeys sitting in their mother's **pouch**. The best part of the visit to the Milwaukee County Zoo is the gift shop. I think this because I was able to buy some peacock feathers, and I brought them home and put them on my shelf. I was also able to buy some shiny rocks, Chinese balls, and some candies for my tummy. M-m-m, delicious! Because it is a perfect place to spend family time together, the Milwaukee County zoo is a special place for everyone.

Jobs you can get at the zoo: director, groundskeeper, veterinarian, zookeeper, zoologist.

Zoológico: Lugar donde se mantienen animales salvajes para que el público los vea.

Zoológico del Condado de Milwaukee

Cuando fuí al Zoológico del Condado de Milwaukee, ví leones y tigres y ¡estaban rugiendo! Había también chitas, leopardos y jaguares corriendo rápido dentro de sus espacios de exhibición, y había lobos, coyotes y zorros durmiendo a la sombra. Cuando me miraban con sus ojos intimidantes, me hacían casi correr hacia la próxima exhibición. En la siguiente exhibición ví unas focas gemelas.

En el zoológico pudimos ver el primer oso polar femenino. Cuando visitamos las jirafas rubias, noté que se estaban comiendo las hojas de la parte alta de los árboles.

Algunos de los animales que más disfruté mirar en el Zoológico del Condado de Milwaukee fue a los monos trepándose y saltando en los árboles de rama en rama. Los animales más bonitos en el zoológico eran dos canguros bebés sentados en la **bolsa** de su mamá.

La mejor parte de la visita al Zoológico del Condado de Milwaukee es la tienda de regalos. Pienso esto porque pude comprar algunas plumas de pavo real y las traje a casa donde yo misma las coloqué en un estante. También pude comprar algunas piedras brillosas, pelotas chinas y algunos dulces para mi barriga. M-m-m, ¡deliciosos! El Zoológico del Condado de Milwaukee es un lugar especial para todos porque es un lugar perfecto para pasar tiempo juntos en familia.

Empleos que puedes encontrar en el zoológico: director, encargado de mantenimiento, veterinario, encargado del zoológico, zoologista.

Newspaper: A printed paper that tells about happenings that have just taken place.

Milwaukee Journal Sentinel

When I first stepped out of the car at the Milwaukee Journal Sentinel building, I was in awe. The architecture was very impressive. The walls are made of a mixture of limestone and metal. At night when the building is lit up, it looks awesome.

I walked into the building and saw lots of people working and many presses running. I never realized how many people work together to get out our newspaper.

The Milwaukee Journal Sentinel is Wisconsin's largest newspaper. In 1995 two newspapers merged (Milwaukee Journal and Milwaukee Sentinel). This newspaper is one of only a handful of employee-owned newspapers in the United States.

The Milwaukee Journal Sentinel is one of the oldest continuing businesses in Wisconsin. It was founded by Solomon Juneau in 1837. He was a fur trader and Milwaukee's first mayor. The Journal Company bought the Sentinel from the Hearst newspaper chain in 1962. The Milwaukee Journal began publishing in 1882 and has won five Pulitzer Prizes and numerous other **awards**.

Journal Communications owns Milwaukee Journal Sentinel and employs more than 6,000 people across the United States.

After my visit to the Milwaukee Journal Sentinel, I think I would like to be a great editor when I grow up. You should think about making a visit there, too.

Jobs you can get at the newspaper: editor, journalist, photographer, press operator, receptionist.

Periódico: Papel impreso que dice acerca de los acontecimientos recientes.

El Periódico el Centinela de Milwaukee

Cuando me bajé del carro al llegar al edificio del Periódico el Centinela de Milwaukee me quedé asombrado. La arquitectura es muy impresionante. Las paredes están hechas de una mezcla de piedra caliza y metal. En la noche cuando el edificio está encendido luce estupendo.

Entré al edificio y ví una gran cantidad de gente trabajando y la prensa corriendo. Nunca me imaginé toda la gente que trabaja en conjunto para producir el periódico.

El Periódico el Centinela de Milwaukee es el periódico más grande de Wisconsin. En 1995 dos periódicos se unieron (El Periódico de Milwaukee y el Centinela de Milwaukee). Este periódico es uno de los pocos periódicos en los Estados Unidos en donde el empleado es propietario.

El Periódico el Centinela de Milwaukee es uno de los negocios más viejos y con continuidad en Wisconsin. Fue fundado por Solomon Juneau en 1837. El fue un comerciante de pieles y el primer alcalde de Milwaukee. La compañía Journal le compró el Sentinel a la cadena de periódicos Hearst en 1962. El Periódico de Milwaukee empezó su publicación en 1882 y ha ganado cinco Premios Pulitzer y varios otros **premios**.

Journal Communications es el propietario del Periódico el Centinela de Milwaukee y emplea a más de 6,000 personas a través de todos Estados Unidos.

Después de mi visita al Periódico el Centinela de Milwaukee, pienso que me gustaría ser un gran editor cuando crezca. Tu también deberías pensar en hacerles una visita.

Empleos que puedes encontrar en el periódico: editor, periodista, fotógrafo, operador de prensa, recepcionista.

Library: A place where books, magazines, newspapers, records and other materials are kept for reading or borrowing.

Milwaukee Public Library

Have you ever been to Milwaukee's gigantic downtown central library? The Milwaukee Public Library is a large building that thousands of people visit each year. At the library, you can get tutored, they can read to you, you can complete **research**, enjoy art, and listen to storytellers. There is a newsletter to help you keep track of what's going on, and they have a great summer program.

This library has won several awards. One being the PEAK (Promoting Educational Achievement for Kids) award, which the Library won in 2004. The Milwaukee Public Library is a great place to spend time while having fun. There are library branches in and around Milwaukee. There are 14 suburban branches in Milwaukee County and 12 neighborhood branches in the city.

Jobs you can get at the library: archivist, clerk, custodian, director, librarian.

Biblioteca: *Lugar donde hay libros, revistas, periódicos, grabaciones y otros materiales para leer o sacar prestados.*

Biblioteca Pública de Milwaukee

¿Has estado alguna vez en la gigantezca Biblioteca Central de Milwaukee? La Biblioteca Pública de Milwaukee es un edificio enorme, visitado por miles de personas cada año. En la biblioteca puedes encontrar tutores que pueden leer para tí, puedes completar **investigaciones**, disfrutar del arte y escuchar a contadores de historias. Hay un boletín para mantenerte informado de lo que está pasando y cuentan con gran programa de verano. Esta biblioteca ha ganado varios premios. Uno de ellos ha sido el premio PEAK (Promoting Educational Achievement for Kids – Provomoviendo Logros Educacionales para Niños), lo ganaron en 2004. La Biblioteca Pública de Milwaukee es un lugar grandioso en donde pasar tu tiempo mientras te diviertes. Hay sucursales de la biblioteca dentro y en los alrededores de Milwaukee. Hay 14 sucursales en las zonas suburbanas en el condado de Milwaukee y 12 sucursales en los distintos barrios de la ciudad.

Empleos que puedes encontrar en la biblioteca: encargo del archivo, asistente, custodio, director, bibliotecario.

Public Museum: A building for keeping and showing objects that are important in history, art, and science, open to all people.

Milwaukee Public Museum

The Milwaukee Public Museum is a very impressive and outstanding place! Some of the exhibits you can see are the butterflies, the rain forest, and the little village. The first really special **exhibit** is the butterflies. They are a great sight to see because they have charming colors, and it is a lot of fun to try to get the butterflies to land on you. They are also all different colors and sizes, which makes each one unique.

Next, there is the rain forest. When you go there, you almost think you are in the Amazon Rain Forest, with all the sounds of crickets and monkeys and real-looking animals in the trees.

Another fun exhibit is the little village or, as it is also called, "Streets of Old Milwaukee." It has a real candy shop and life-like figures dressed in clothes from the 1900s. Because of these amazing exhibits, the Milwaukee Public Museum is a terrific place to visit. There are many other fabulous exhibits to see. To understand how wonderful this place really is, you must go there and find out for yourself.

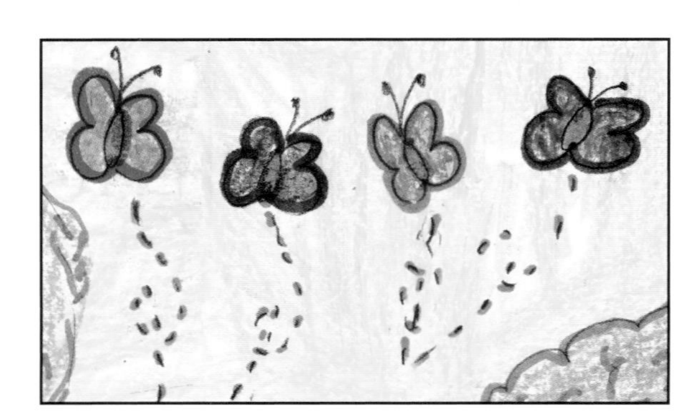

Jobs you can get at the museum: artist, cashier, curator, exhibit designer, security guard.

Museo Público: Edificio para mantener y exhibir objetos que son importantes en la historia, arte y ciencia, abierto para todas las personas.

Museo Público de Milwaukee

El Museo Público de Milwaukee es un lugar muy impresionante y excepcional. Algunas de las exhibiciones que puedes ver son "Las Mariposas", "La Selva" y "La Pequeña Aldea". La primera **exhibición** realmente especial es la de las mariposas. Ofrecen una vista maravillosa por su encantandor colorido y es divertido tratar de que las mariposas se reposen sobre tí. Son de todos colores y tamaños diferentes lo que las hace únicas.

A esto le sigue "La Selva". Cuando vas ahí, casi piensas que estás dentro de la Selva Amazónica con todos los sonidos de grillos y monos, animales y árboles que parecen reales.

Otra exhibición divertida es "La Pequeña Aldea" o la también llamada "Viejas calles de Milwaukee". Tienen una tienda de dulces de verdad y figuras vestidas como en la vida real con ropas de los años 1900. Por estas estupendas exhibiciones, el Museo Público de Milwaukee es un lugar maravilloso para visitar. Hay otras exhibiciones fabulosas que ver. Para entender lo genial que es este lugar, tienes que ir y verlo por tí mismo.

Empleos que puedes encontrar en el museo: artista, cajero, director, diseñador de exhibiciones, guardia de seguridad.

Riverwalk: Attractive and decorative walks, decks and bridges along a river. Summer events that happen at the Milwaukee Riverwalk are RiverSplash, RiverSculpture, Rainbow Summer, RiverFlicks and the Milwaukee River Challenge.

Milwaukee Riverwalk

The Milwaukee Riverwalk has many interesting things to see and do. Many people like to visit the restaurants along the river or just stop to gaze at the wonderful artwork.

The Riverwalk **venue** hosts many popular festivals throughout the year, and it is considered to be in a historic section of Milwaukee. The Riverwalk is similar to a boardwalk lined with stores and restaurants. Captivating artwork is scattered throughout the whole stretch of the walk. The Riverwalk covers 16 square blocks of the streets in Milwaukee. This is a great place to visit in Milwaukee, and it is especially enjoyable in the summer. It is also fun to watch the boats.

A very famous sculpture, Gertie the Duck, was made to honor a duck that lived beneath the Milwaukee River bridge in 1945. A book called *Gertie the Duck,* based on a true story, was written by Louis Romano in 1946. Today the sculpture of Gertie is on the Wisconsin Avenue Milwaukee River bridge.

Jobs you can get on the Riverwalk: groundskeeper, waitress.

Caminata alrededor de un río: Pasaderos atractivos y decorados, cubiertas y puentes a lo largo de un río. Algunos eventos de verano que suceden en la Caminata a lo largo del Río Milwaukee son el RiverSplash, RiverSculpture, Rainbow Summer, Riverflicks y el Milwaukee River Challenge.

Caminata a lo largo del Río Milwaukee

La Caminata a lo largo del Río Milwaukee tiene muchas cosas interesantes para ver y hacer. Muchas personas gustan visitar los restaurantes a lo largo del río o sólo se detienen a contemplar el maravilloso trabajo artístico.

Este **sitio** la Caminata a lo largo del Río Milwaukee hospeda numerosos festivales durante todo el año y es considerada como una parte histórica de Milwaukee. La Caminata a lo largo del Río Milwaukee es similar a un entablado cubierto de tiendas y restaurantes. A lo largo de toda la caminata hay obras de arte realmente cautivantes. La caminata cubre 16 cuadras de las calles de Milwaukee. Es un lugar estupendo para visitar en Milwaukee y especialmente para disfrutar del verano. Es divertido también observar a los botes.

Una escultura muy famosa es "El Pato Gertie", que fue hecha en honor a un pato que vivió debajo del puente del Río Milwaukee en 1945. Un libro llamado *El Pato Gertie,* basado en una historia real, fue escrito por Louis Romano en 1946. Hoy, la escultura de Gertie está en el puente del Río de Milwaukee ubicado en la avenida Wisconsin.

Empleos que puedes encontrar en la Caminata a lo largo del Río Milwaukee: encargado de mantenimiento, mesera.

Trolley: An electric street car.

Milwaukee Trolley Loop

Recently, I took a ride on an amazing machine. I was riding the Milwaukee Trolley Loop. The Milwaukee Trolley was very comfortable, and the staff was friendly. My parents were very happy because the tickets were free. I found out a lot about the trolley's history and tons of cool facts. For example, the omnibus **preceded** the trolley as Milwaukee's main form of public transportation. The omnibus changed to the electric trolley in 1894, and that became trackless in the late 1930s. Milwaukee had the third largest trolley **fleet** in the nation in the 1940s. Traveling quickly, we passed the Milwaukee Art Museum, the Betty Brinn Museum, the Grand Avenue Mall, and many more exciting places. This is an amazing way to see Milwaukee. I did not want it to be over.

Jobs you can get at the trolley system: bus operator, director, mechanic.

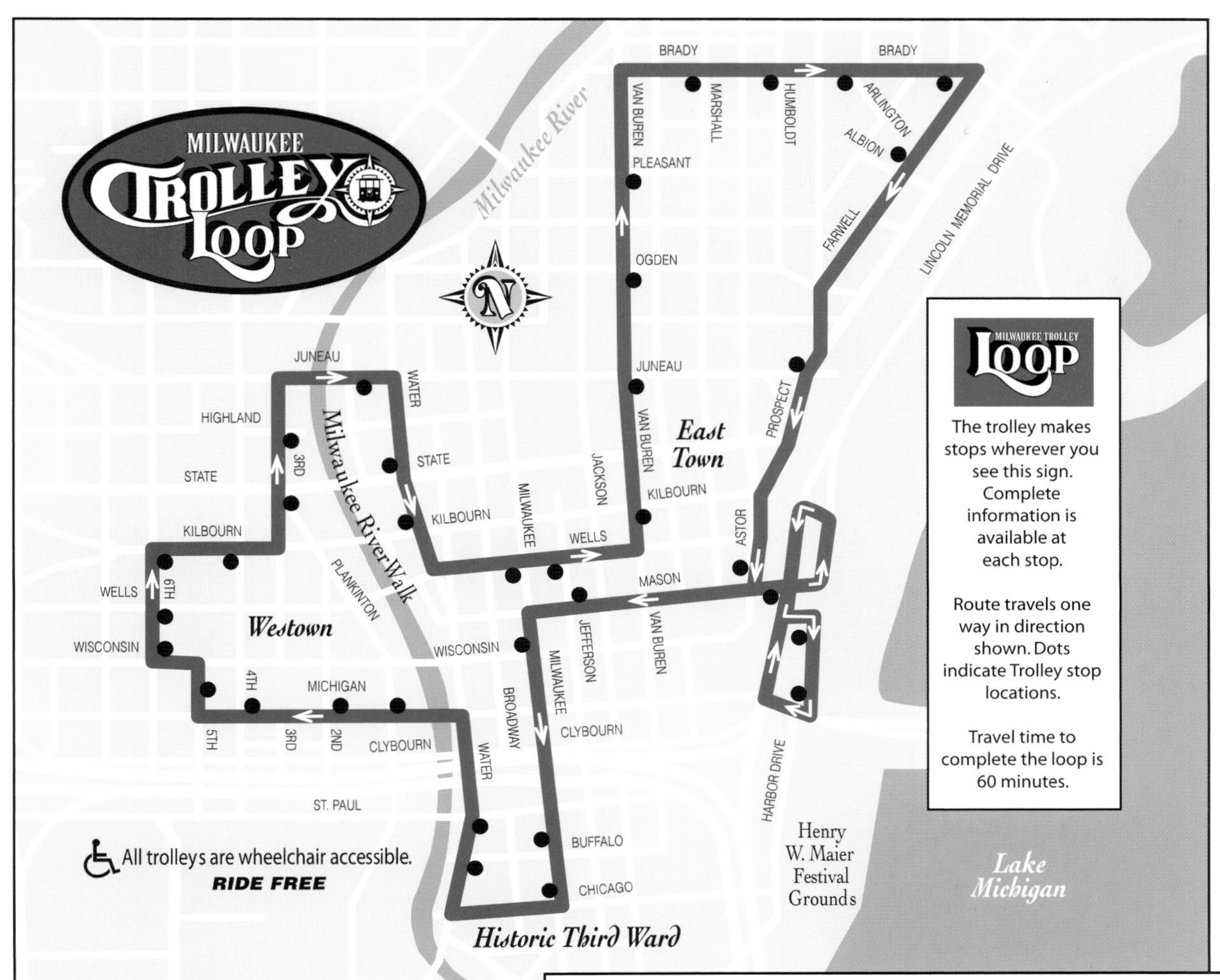

Circuito del Trolley de Milwaukee

Recientemente, dí un paseo en una máquina sorprendente. Estaba viajando por el circuito del Trolley de Milwaukee. El Trolley de Milwaukee fue bastante cómodo y el personal muy agradable. Mis padres estaban muy contentos porque los boletos fueron gratis. Aprendí mucho sobre la historia de los trolleys y me enteré de un montón de hechos chéveres. Por ejemplo, el omnibús **precedió** al Trolley como principal medio de transporte público en Milwaukee.

El omnibús se cambió por el trolley eléctrico en 1894 y este dejó de tener rieles a finales de los años 1930. Milwaukee tuvo la tercera **flotilla** más grande de trolley en la nación en los años 1940. Viajando rápido pasamos por el Museo de Arte de Milwaukee, el Museo Betty Brinn, el Grand Avenue Mall y muchos otros lugares interesantes. Esta es una manera estupenda de ver Milwaukee. No quería que aquel paseo terminara.

Trolley: Tranvía o carro eléctrico que circula en las calles.

Empleos que puedes encontrar en el sistema de trolley: operador de autobús, director, mecánico.

Horticulture: The science and art of growing fruits, vegetables, flowers, or ornamental plants.

Mitchell Park Horticultural Conservatory "The Domes"

Fantastic is how I would describe the day I visited the three **domes**. There is a tropical dome, an **arid** dome, and a flower show dome. Before I got there, I saw a view of the domes from the bridge. Looking like three diamonds from far away because the domes were shiny. I went up to them to get a better look. When I got closer, I saw clean, shiny windows. Around the domes are beautiful flowers. Just a few of the flowers grown there are marigolds, magnolias, roses, tulips, daisies and violets.

In the back of the domes, there is a **pavilion** for people to have parties. When you go, you will see little bridges to walk on. A stream of running water, which contains fish, can be seen under the bridge. In the domes, you can also see numerous butterflies landing on the trees that attract them.

I think one of the best times to go to the domes is in the winter. In the winter, the domes look wonderful. When you go inside, they are nice and warm.

Like a tropical forest, there are many types of birds in the domes. If you look up into the lights, you can see birds flying. This is a good place to have fun and learn about nature. Many people just come for the relaxation. The air is refreshing and warm. If you've never seen the Mitchell Domes, it is one sight you will not want to miss.

Jobs you can get at the domes: cashier, horticulturist.

Horticultura: El arte y la ciencia de cultivar frutas, vegetales, flores o plantas ornamentales.

Conservatorio Horticurtural Mitchell Park "Las Cúpulas"

Fantástico es como de yo describiría el día en que visité las tres **cúpulas**. Hay una cúpula tropical, una cúpula **árida** y una cúpula de flores. Antes de llegar pude ver las cúpulas desde el puente. Se ven como tres diamantes desde la distancia porque las cúpulas son brillantes. Me acerqué para poder observarlas mejor. Cuando ya estaba más cerca, ví ventanales limpios y brillantes. Alrededor de las cúpulas hay flores hermosas: marigolds, magnolias, rosas, tulipanes, daysis y violetas son sólo algunas de las flores que se cultivan allí.

En la parte de atrás de las cúpulas hay un **pabellón** donde las personas pueden hacer fiestas. Cuando tu vas, ves pequeños puentes por donde caminar. Un riachuelo de agua que contiene peces, se ve debajo del puente. En las cúpulas puedes ver también numerosas mariposas posándose en los árborles que les atraen.

Pienso que uno de los mejores momentos para visitar las cúpulas es el invierno. En el invierno, las cúpulas se ven maravillosas. Cuando estás adentro se siente un clima agradable y cálido.

Como en una selva tropical, hay diferentes tipos de pájaros en las cúpulas. Si miras hacia las luces de arriba, puedes ver los pájaros volando. Este es un buen lugar para divertirte y aprender acerca de la naturaleza. Muchas personas vienen sólo para relajarse. El aire es refrescante y cálido. Si nunca has visto Las Cúpulas Mitchell, es una vista que no te puedes perder.

Empleos que puedes encontrar en las cúpulas: cajero, horticulturista.

Mansion: A very large, stately house.

Pabst Mansion

Once, more than 100 years ago, there was a famous man who had a beer factory. His name was Captain Frederick Pabst. He asked an **architect** named George Bowman Ferry to build him a mansion. The house had a design called Flemish Renaissance Revival. Today, people visit it every day because there are many things to see. You can buy tickets to the mansion in the gift shop, along with souvenirs.

In Elizabeth Pabst's room, on the second floor, there is a **miniature** doll house made by Caroline Radoszewski. After Elizabeth died, her family **donated** the doll house to the Pabst Mansion Museum. Another interesting feature is an elevator that Captain Pabst used when he was ill. In the pantry, there are two safes and an icebox, which uses ice to keep food cold. There are also a conservatory and two dining rooms in the mansion. One dining room was for the guests and the other was for the servants. Near Christmas, the whole mansion is decorated for the season.

Another feature in the mansion is an archive, which has over 4,000 photographs. Don't you think it would be fun to visit the mansion's archives, and see how people lived in the mansion in the 1800s and 1900s? There are many more interesting facts about the Pabst Mansion Museum that you too can learn about.

Jobs you can get at the mansion: cashier, curator, exhibit designer.

Mansión: *Una casa muy grande y majestuosa.*

Mansión Pabst

Una vez, hace más de cien años, había un hombre famoso, dueño de una fábrica de cerveza. Su nombre era Capitán Frederick Pabst. El le pidió a un **arquitecto** llamado George Bowman Ferry que le construyera una mansión. La casa tenía un estilo llamado Flemish Renaissance Revival (renacimiento flamenco). Hoy, mucha gente la visita a diario pues hay muchas cosas que ver. Puedes comprar boletos para entrar a la mansión en la tienda de regalos, así como también recuerdos.

En la recámara de Elizabeth Pabst, en el segundo piso, se encuentra una casa de muñecas en **miniatura** que fue creada por Caroline Radoszewski. Después de que Elizabeth murió, su familia **donó** la casa de muñecas a la mansión del Museo Pabst. Otra característica interesante es el elevador que usaba el Capitán Pabst cuando estaba enfermo.

En la despensa se encuentran cajas de seguridad y una nevera, la cual utiliza hielo para mantener fría la comida. Se encuentra inclusive un conservatorio y dos comedores en la mansión. Uno de los comedores era para los invitados y el otro para los sirvientes. Cerca de la Navidad la mansión entera se decora con motivos alusivos.

Otra característica de la mansión es el archivo que contiene más de 4,000 fotografías. ¿No crees que puede ser divertido visitar los archivos y ver cómo las personas vivían en los años 1800 y 1900? Hay muchos más hechos intersantes acerca del Museo de la Mansión Pabst que tu también puedes conocer.

Empleos que puedes encontrar en el museo: cajero, director, diseñador de exhibiciones.

Hotel: An establishment that provides lodging and usually meals, entertainment, and personal services for its guests.

Pfister Hotel (landmark hotel)

The Pfister Hotel is located in the heart of downtown Milwaukee. It is one of the oldest hotels in the city. Guido Pfister and his son Charles were the founders of the hotel. In 1893, the hotel opened its doors. The Pfister is made up of 307 beautiful rooms and 82 magnificent **suites.** Some of the rooms feature king-sized beds, and some have whirlpool baths with views overlooking Lake Michigan.

One of the featured rooms located inside of the Pfister is the Grand Ballroom. The ballroom is used for hosting large parties and wedding receptions. Also inside, there are restaurants and shops for guests and non-guests. You can also have high tea at the Pfister.

The Pfister also has some interesting ghost stories to tell. It is said that Charles Pfister visits often to check on his workers, guests and the hotel itself. People who have seen Pfister's ghost said that he is always smiling and looks just like the portrait of him that hangs in the hotel.

In 1962, the Pfister Hotel was bought by the late Ben Marcus. Ben Marcus decided to add a 23-story tower to the hotel to make it more appealing to the guests, but he never changed the original classic look of the hotel. The Pfister also houses beautiful works of art. These works of art can be seen throughout the hotel on every floor.

The Pfister remains a beautiful **landmark** and historic site for the city of Milwaukee. Guests from all walks of life, including famous professional athletes and presidents, have stayed at the Pfister Hotel. Perhaps someday you too will visit and stay at this wonderful landmark.

Jobs you can get at the hotel: banquet manager, chef, concierge, hotel manager, reservation clerk.

Hotel: Establecimiento que provee alojamiento, y generalmente comida, entretenimiento, y otros servicios, para sus huéspedes.

Pfister Hotel
(hotel muy conocido)

El Hotel Pfister está ubicado en el corazón del centro de la cuidad de Milwaukee. Es uno de los hoteles más viejos de la ciudad. Guido Pfister y su hijo Charles fueron los fundadores del hotel. En 1893, el hotel abrió sus puertas. El Pfister consta de 307 habitaciones hermosas y 82 **suites** magníficas. Algunos de los cuartos cuentan con camas tamaño extragrande y otras tienen bañeras de hidromasaje con vista al Lago Michigan.

Una de las salas características ubicadas dentro del Pfister es el Grand Ballroom. Este salón de baile se usa para hospedar grandes fiestas y recepciones de bodas. También adentro hay restaurantes y tiendas para los huéspedes y los no huéspedes. También puedes tomar el té en el Pfister.

El Pfister también tiene algunas historias de fantasmas interesantes para contar. Se dice que Charles Pfister visita con frecuencia para supervisar a sus empleados, huéspedes y el hotel mismo. Personas que han visto el fantasma de Pfister dicen que él siempre está sonriendo y que se ve como el retrato que está colgado en el hotel.

En 1962, el Hotel Pfister fue comprado por el difunto Ben Marcus. Ben Marcus decidió añadir una torre de 23 pisos al hotel para hacerlo más atractivo para los huéspedes, pero él nunca cambió la vista clásica del hotel. El Pfister también aloja bellas obras de arte. Estas obras de arte se pueden ver en todos los pisos del hotel.

El Pfister permanece como lugar histórico y como un **punto de referencia** hermoso en la ciudad de Milwaukee. Huéspedes de toda condición social, incluyendo famosos atletas profesionales y presidentes, se han hospedado en el Hotel Pfister. Quizás algún día tu también visites y te puedas quedar en este maravilloso lugar tan conocido.

Empleos que puedes encontrar en el hotel: director de banquetes, chef, conserje, director del hotel, recepcionista.

Automation: A system of manufacturing in which some jobs are done by machines instead of by people.

Rockwell Automation

I went to see Rockwell Automation, which is a very interesting place. I learned that Rockwell was first started in Oshkosh, Wisconsin in 1919 by a man named Willard Rockwell, but later moved its headquarters to Milwaukee because Rockwell had also bought the Allen Bradley Company.

I like the really big clock tower. It is in the Guinness Book of World Records as the largest four-sided clock tower in the world. Isn't that cool? Traveling along the Milwaukee expressway a person can see the clock tower from a distance. It is sort of like a symbol of Milwaukee's **industrial** history. Over 3,000 workers are employed at the headquarters of Rockwell Automation. Learning how workers make **control panels** and other electronics is a fascinating experience.

I also liked learning that I could get a job here after high school. If I go to college I could specialize in electronics or maybe marketing. If I have a high school education, I can work as a manufacturing laborer. Sadly, many factories have left the city of Milwaukee over the years. But, Rockwell Automation is proof that good ideas and great workers are what keep businesses in Milwaukee strong. It is important to have a good education so you can get a job at a company like Rockwell Automation.

Jobs you can get at Rockwell Automation: accountant, administrative assistant, electrical engineer, mechanical engineer.

Rockwell Automation

Fui a visitar Rockwell Automation el cual es un sitio muy interesante. Aprendí que los inicios de Rockwell fueron en Oshkosh, Wisconsin en 1919 por un hombre llamado Willard Rockwell, pero después trasladó su oficina central a Milwaukee, pues Rockwell había adquirido también la compañía Allen Bradley.

Me gustó la enorme torre reloj. Se encuentra en el libro de records mundiales Guinness como la torre reloj de cuatro caras más grande del mundo. ¿No es genial? Viajando por la autopista de Milwaukee se puede ver el reloj. Es como un cierto símbolo de la historia **industrial** de Milwaukee. Más de 3,000 trabajadores están empleados en las oficinas centrales de Rockwell Automation. Aprender cómo es que los obreros hacen los **tableros de mando** y otros tipos de electrónicos es una experiencia fascinante.

También me gustó saber que podría conseguir un trabajo ahí después de terminar la escuela secundaria. Si yo fuese a la universidad me podría especializar en electrónica o quizás en comercio. Si tuviera una educación de escuela secundaria podría trabajar como un obrero de fábrica. Tristemente, muchas fábricas han dejado la ciudad de Milwaukee a través de los años. Pero Rockwell Automation es prueba de que con buenas ideas y muy buenos empleados es como se mantiene fuerte el comercio en Milwaukee. Es muy importante tener una buena educación para poder obtener un empleo en una compañía como Rockwell Automation.

Empleos que puedes encontrar en Rockwell Automation: contador, asistente administrativa, ingeniero eléctrico, ingeniero mecánico.

See the Rockwell Automation exhibit at the Milwaukee Public Museum.

Automatización: Sistema de fabricación en donde algunos trabajos pueden ser realizados por máquinas en lugar de personas.

Chapel: A room or building for holding religious services.

Saint Joan of Arc Chapel and Marquette University

Be sure to visit Marquette University, located in the downtown area of Milwaukee. There are many interesting sites on the Marquette **campus.** One place you might like to see is the Saint Joan of Arc Chapel. The chapel is a great example of medieval Gothic **architecture**. The chapel contains a cold stone that was kissed by Saint Joan of Arc before she went into battle. It is the oldest chapel in the western hemisphere that is still used for its original purpose.

If you're a sports fan, be sure to visit the Al McGuire Center, which opened in 2004. The center is used for practice by the men's and women's basketball teams, other types of sports, and as a workout facility.

The Marquette University campus is a great place to learn about. The University was named after Father Jacques Marquette and opened on August 28,1881. Since then, hundreds of thousands of students have attended Marquette University. It has eight colleges within the university, plus a graduate school, dental school, and law school.

Jobs you can get at the university: administrative assistant, cook, custodian, groundskeeper, professor, researcher, security guard.

Capilla: Habitación o edificación para tener servicios religiosos.

Capilla Santa Juana de Arco y Universidad de Marquette

Asegúrate de visitar la Universidad de Marquette localizada en el centro de la ciudad de Milwaukee. Existen muchos sitios interesantes en la **ciudad universitaria** de Marquette. Uno de los lugares que probablemente te gustaría ver es la Capilla de Santa Juana de Arco. La capilla es un tremendo ejemplo de **arquitectura** gótica medieval. La capilla contiene una piedra que fue besada por Santa Juana de Arco antes de irse a batalla. Es la capilla más vieja en el hemisferio oeste que todavía se usa para sus propósitos originales.

Si eres un fanático de los deportes, asegúrate de visitar el Centro Al McGuire, que se abrió en el 2004. El centro se usa para la práctica de los equipos de hombres y mujeres de baloncesto, otro tipo de deportes y como instalación de entrenamiento.

El campus de la Universidad de Marquette es un lugar estupendo del cual aprender. La Universidad fue nombrada así en honor al Padre Jacques Marquette y se abrió el 28 de agosto de 1881. Desde entonces, cientos de miles de estudiantes han asistido a la Universidad de Marquette. Tiene ocho escuelas dentro de la universidad más una escuela de graduados, una escuela de odontología y una escuela de leyes.

Empleos que puedes encontrar en la universidad: asistente administrativo, cocinero, custodio, encargado de mantenimiento, profesor, investigador, guardia de seguridad.

Nature: The physical world and everything in it that is not made by man.

Schlitz Audubon Nature Center

The Schlitz Audubon Nature Center is a nature center where animals live. The Schlitz Audubon Center has 185 acres for the animals to live on. There are people that teach students about animals, where the animals live, and about nature. The Schlitz Audubon Nature Center takes care of many neat birds like robins and blue jays because that is where their **habitats** are. Some of the animals, like squirrels, rabbits, and deer, run away from you. Some trained people hold animals, so we can see them and pet them. A beautiful stone building, the nature center's main building is **solar-energy** efficient. It was built in winter while it was cold, so they could test how to keep heat in, and so they could protect the flowers. Joseph Schlitz donated the land to the Schlitz Foundation, and it became a nature preserve. The Schlitz Audubon Center is an important part of Milwaukee because it protects a lot of **endangered** animals. It is a fun place to visit and has many beautiful trails to walk on. There is so much to learn about nature.

Jobs you can get at the center: botanist, educator, receptionist.

Naturaleza: El mundo físico y todo aquello que no ha sido creado por el hombre.

Centro de la Naturaleza Schlitz Audubon

El Centro de la Naturaleza Schlitz Audubon es un centro de naturaleza en donde viven animales. El Centro de la Naturaleza Schlitz Audubon tiene 185 acres de terreno para que los animales vivan allí. Hay personas que les enseñan a los estudiantes acerca de los animales, adónde viven y sobre la naturaleza. El Centro Schlitz Audubon se ocupa de muchos pájaros bonitos como los arrendajos azules y los petirrojos ya que éste es su **hábitat.** Algunos animales como las ardillas, los conejos y los venados se alejan de tí cuando te ven. Algunas personas entrenadas sostienen a los animales para que los podamos ver y acariciar. El edificio del Centro de naturaleza está hecho de piedras y utiliza eficazmente la **energía solar**. Fue construído en el invierno para así poder ponerlo a prueba y ver cómo es que retendría el calor y para poder proteger a las flores. Joseph Schlitz donó el terreno a la fundación Schlitz y se convirtió en una reserva natural. El Centro Schlitz Audubon es una parte importante de Milwaukee ya que protege a muchos animales que **están en peligro**. Es un lugar muy divertido para visitar y tiene muchísimos senderos hermosos donde puedes caminar. Hay mucho que aprender acerca de la naturaleza.

Empleos que puedes encontrar en este centro: botánico, educador, recepcionista.

Communication: A way or means of exchanging information.

Time Warner Cable

Time Warner Cable is a nice place to work and to visit. It is the company that has my favorite TV channels. The **headquarters** is located near the Milwaukee River on the corner of Vliet Street and Dr. Martin Luther King, Jr. Drive. The Time Warner Cable building used to be the Commerce Street Power Plant before it became the headquarters for Time Warner Cable in Wisconsin. There are 800 workers in this one building. The owners of Time Warner Cable chose this building because they wanted to be leaders in helping businesses and people stay in the city of Milwaukee. The company offers high speed internet, digital cable, HDTV and other services. They even have their own television studio.

Time Warner Cable has lots of **goals**. They want their customers to be 100% satisfied at all times. They also want to help serve the community that they work in. They work hard to keep their workers happy. They have a fitness center and a restaurant inside the building. I like Time Warner Cable, and I hope you do, too.

Jobs you can get at Time Warner Cable: cable repairman, cameraman, director, grip, manager, producer.

Comunicación: *Una manera o medio de intercambiar información.*

Time Warner Cable

Time Warner Cable es un lugar agradable para trabajar o visitar. Es la compañía que tiene mis canales de televisión favoritos. La **sede central** está localizada cerca del Río Milwaukee en la esquina de la calle Vliet y la Dr. Martin Luther King, Jr. Drive. El edificio del Time Warner Cable fue la Central Eléctrica de la calle Commerce antes de que se convirtiera en la sede central de Time Warner Cable en Wisconsin. Hay 800 trabajadores en este edificio. Los propietarios de Time Warner Cable eligieron este edificio porque querían ser los líderes en ayudar a negocios y personas a quedarse en la ciudad de Milwaukee.

La compañía ofrece: internet de banda ancha, cable digital, HDTV y otros servicios. Ellos tienen inclusive su propio estudio de televisión.

Time Warner Cable tiene muchas **metas.** Ellos quieren que sus clientes estén cien por ciento satisfechos todo el tiempo. Ellos también quieren ayudar a servir a la comunidad en la que ellos trabajan. Ellos trabajan para mantener a sus empleados felices...tienen un centro para hacer ejercicio y un restaurante dentro del edificio. Me gusta Time Warner Cable y espero que a tí también te guste.

Empleos que puedes encontrar en Time Warner Cable: reparador de cable, camarógrafo, director, asistente de cámara, gerente de estación, productor.

Community Center: A center for the education, health, and social wellness of a neighborhood.

United Community Center

My trip to the **Hispanic** United Community Center was fun. Let me tell you what happened when I visited the **community** center. I anxiously walked into the building, and I saw lots of people. Elderly people play games like checkers with one another. Some people go there to learn art, boxing, computers and dancing. Some people exercise there, too. Some kids go to the gym for after-school programs and sports. Planning trips and providing jobs for people are other benefits that are offered. I saw kids in school learning English, and younger kids playing with toys. As I went to play with them I got hungry, so I went to Café El Sol. They had a lot of very **authentic** good Mexican food. I ordered a taco. It was very good. After I finished, we went to the art **gallery**. We saw sculptures and paintings.

My trip to the community center was great. I hope you can visit this very special place as I have.

Jobs you can get at the center: cook, gallery director, receptionist, teacher, waitress.

Centro comunitario: Un centro para la educación, salud y bienestar social de la comunidad.

Centro de la Comunidad Unida

Mi viaje al Centro de la Comunidad Unida **Hispana** fue divertido. Déjame contarte lo que sucedió cuando visité este centro **comunitario**. Anciosamente entré al edificio y ví a muchísima gente. Personas mayores estaban jugando juegos de mesa, como las damas Españolas. Algunas personas van ahí a aprender arte, boxeo, computación y baile. Algunas personas hacen ejercicio ahí también. Algunos niños van al gimnasio para los programas extra curriculares y deportes. Otros beneficios que se ofrecen son planear excursiones y proveer empleos para las personas. Ví niños en la escuela aprendiendo inglés y niños más pequeños jugando con juguetes. Cuando fuí a jugar con ellos me dió hambre así que fuí a Café el Sol. Ellos tienen mucha comida **auténtica** Mexicana. Yo ordené un taco. Estaba muy bueno. Después que terminé, nos fuimos a la **galería** de arte. Vimos esculturas y pinturas.

Mi viaje a este centro comunitario fue grandioso. Espero que tu puedas visitar este lugar tan especial como lo he hecho yo.

Empleos que puedes encontrar en el centro: cocinero, director de la galería, recepcionista, maestro, mesera.

Creative and Speaking Challenge

Create Your Own Milwaukee Sites Quilt!

Discovering some of the facts about sites in Milwaukee is not only fun, it also helps students understand what makes Milwaukee a unique community. Design and "sew" a paper patchwork quilt featuring Milwaukee sites to display in your classroom, hallway or home.

How to Make the Quilt

1. Students choose one of the sites presented in this book. Each student will illustrate a key vocabulary word by depicting a special characteristic of their Milwaukee site on an 8″ X 8″ watercolor paper square. (For example, a special characteristic about Rockwell Automation is the clock tower.) Use a black permanent marker to write the vocabulary word on each picture.

2. Center and mat the picture on a colorful 9″ X 9″ piece of construction paper or tag board to create a border for each "quilt square." Reinforce the back edges of the quilt square with masking tape and use a single-hole punch to make holes around the edge.

3. Align the holes of each quilt square and "stitch" the pictures together with a large darning needle and yarn to create a beautiful quilt.

4. Once the completed quilt is displayed, have each student identify their picture for the group and present information about their site, defining the vocabulary word and giving reasons why they chose one site and characteristic over another.

Materials

- Fine-point black permanent marker
- Large darning needles
- Watercolor pencils
- Yarn (heavy rug)
- 8″ X 8″ Light-colored watercolor paper squares
- Masking tape
- 9″ X 9″ Colorful construction paper or tag board squares
- Single-hole punch

Writing Challenge

Name that Milwaukee Site!

Students use clues that they create to see if their classmates or others can "Name that Milwaukee Site" based upon their clues. This activity will help to enhance students' use of vocabulary, identification of critical information, and comprehension skills*.

Create the Clues

1. Use one or two of the samples provided in this lesson to help students understand that their clues must be based upon the facts presented in the book *All Around Milwaukee*. These samples will provide them with examples so they may practice prior to selecting sites and creating their own clues. Samples of clues that can be used to get students started with this activity follow:

clue 1 My bell, Solomon, is rung every year on the Fourth of July.
clue 2 I am over 100 years old.
clue 3 Politicians meet in my building to make important decisions about Milwaukee.
clue 4 I did not exist until Henry C. Koch designed me as a result of a Common Council design contest.
clue 5 Due to a fire in 1929, my bell tower had to be rebuilt.

Answer: Milwaukee City Hall

clue 1 My Victorian-style clubhouse was originally a part of the Fowle family mansion.
clue 2 One of my old farmhouses is now a food court.
clue 3 Come visit me if you like to hike, camp or picnic.
clue 4 I have a pavilion, waterfall, bridges, and soccer field.
clue 5 My trail is considered to be one the best in the country.

Answer: Grant Park and Seven Bridges Trail

clue 1 I have an art gallery with sculptures and paintings.
clue 2 If you like boxing, dancing, or playing checkers, you should visit me.
clue 3 My café serves authentic Mexican food.
clue 4 People who work here teach children English.
clue 5 If you are looking for a job or like to travel, you might want to visit me.

Answer: United Community Center

2. Divide students into two teams. Have each team select five sites and develop clues that describe each site. The clues that students create should be based on specific pieces of information about the Milwaukee sites described in this book. The clues should also range from easy to difficult. Each team should write a maximum of five clues for each site.

Play the Game

Each team is given up to five clues before they have to "Name that Milwaukee Site." Based upon the clues that are given, each team will need to determine which Milwaukee site the other team is describing. The team that is able to identify the most sites after hearing the least amount of clues wins.

Time

60 minutes to create clues for the various Milwaukee sites
30 – 45 minutes to play "Name that Milwaukee Site"

Activity Challenge

Have students expand this activity by doing research about other important and historical Milwaukee and/or Wisconsin sites and seeing if their classmates can identify the sites based upon their clues.

** As described in these guidelines, this writing challenge meets:*
- *Wisconsin Model Academic Standards (Grade 4) – English/Language Arts B.4.1, A.4.2, 1.4.4, F.4.1 and Social Studies B.4.1, B.4.7.*
- *Milwaukee Public School Learning Targets (Grade 3) – Language Arts, Reading and Social Studies.*

Find out more about the interesting people who work at the places in this book. What jobs would you like to do? Why?

accountant: A person who handles records and money.

administrative assistant: A person who supplies support services to an executive, professional group or department.

air traffic controller: A person who controls air traffic from the ground tower.

aquarist: One who maintains an aquarium.

archivist: One who collects and preserves public records or historical documents.

art teacher: One who teaches art.

artist: A person skilled in one of the arts (such as painting, sculpture, music, or writing).

assembly worker: A person who puts parts together to create a product.

baggage handler: One who loads and unloads suitcases and other cargo.

baker: A person whose work or business is baking bread, cakes, and pastry.

banquet manager: One who oversees formal dinners for many people often in honor of someone.

botanist: One who studies plants.

bus operator: Driver of a bus.

cabin crew: People who make passengers comfortable.

cable repairman: A skilled technician who repairs cables.

caddy: Someone who carries clubs for golfers.

cameraman: A photographer who operates a movie or a television camera.

captain: A chief or leader of some group or activity. Highest ranked officer on a boat or ship.

caretaker: A person who takes care of some thing or place.

cashier: A person who handles the money in a store, bank, or other business where money passes from one person to another.

chef: A cook, especially the head cook of a restaurant or hotel.

city clerk: A person who keeps records for the city.

clerk: A person whose job is to keep records and accounts; a sales person in a store.

cook: A person who prepares food for eating.

concierge: One who makes reservations and arrangements and handles deliveries and messages for guests.

curator: A person who decides which exhibits to put in a museum.

custodian: A person whose work is to take care of a building; janitor.

deckhand: Seaman who works on the deck of a ship attending to the orders of the duty officers during navigation and maneuvering.

director: A person who directs or manages the work of others.

docent: A trained person who educates people about exhibits at a museum.

educator: A person who educates and trains people.

electrical engineer: A person schooled in the science of electronics who may design specific electrical equipment.

engineer: A person who is trained in some branch of engineering.

exhibit designer: A person who sets up and designs exhibits.

first mate: The second-in-command of a ship, a rank just below the captain.

gallery director: Someone who oversees the activity at a gallery and plans and makes decisions about what is contained.

greenskeeper: A person who takes care of the golf course.

grip: A person who moves and sets up camera tracks and scenery in a motion-picture or television production.

groundskeeper: Someone who maintains lawns, trees, shrubs and flowers of a large outdoor area.

historian: A person who researches and writes about the past.

horticulturist: A person who works at the science and art of growing fruits, vegetables, flowers, or ornamental plants.

hotel manager: One who oversees a hotel's daily operations and business.

journalist: A reporter or other person whose work is gathering, preparing, and sending out the news.

landscape designer: A person who plans the layout and planting of plants, lawns and trees for a large, beautiful outdoor area.

lawyer: A person whose profession is giving others advice on law or representing them in a law court.

librarian: A person who is in charge of or works in a library.

manager: A person who manages a business, sports team, or other institution.

mayor: Head of the government of a city or town.

mechanic: A person who works with his or her hands; especially a repairer of machines.

mechanical engineer: A person schooled in the science of mechanics who designs machines.

musician: A person who writes, sings, or plays music, especially as a profession.

oceanographer: A person who studies science and mathematics of seawater, fresh water, polar ice caps, the atmosphere and the biosphere to help solve problems about shipping, fisheries, coastal construction, pollution, weather prediction and climate changes.

park manager: Someone who supervises the activity going on at a public park.

photographer: A person who takes photographs, especially as a job.

pilot: A person who flies an aircraft or steers a boat or ship.

press operator: Someone who runs a printing press and controls the color and quality of printing.

producer: A person who supervises and is responsible for a play, a movie, or a radio or television program.

professor: A teacher with a high rank in a college or university.

receptionist: An employee in an office who receives or greets visitors, gives information, and performs various other duties.

researcher: One who studies and investigates for the purpose of discovering and explaining new knowledge.

reservation clerk: A person who coordinates people and dates they want to arrive at a hotel or attraction.

security guard: A person who protects people and property.

teacher: One who assists learning how to do something; one who gives lessons.

ticket seller: One who collects money for admission.

veterinarian: A doctor who treats injuries and diseases of animals.

waiter/waitress: A person who waits on patrons in a restaurant.

writer: A person who writes, especially as a business or occupation.

youth director: A person who manages young people's activities.

zookeeper: A paid worker who takes care of animals at the zoo.

zoologist: A person who studies animals.

Definitions

accusation: A claim or charge that a person is guilty of doing wrong or of breaking the law.

architect: A person who designs buildings and advises in their construction.

architecture: A style or special way of building.

arid: Very dry; not having enough rainfall to support agriculture.

articles: Complete pieces of writings on a single subject that are part of a newspaper, magazine or book.

artifacts: Simple objects (such as tools or ornaments) showing human work and representing a culture.

authentic: Genuine; real.

awards: Prizes given for special quality or performance.

botanical: Having to do with the science that studies plants and how they grow.

campus: The grounds and buildings of a school or college.

catamaran: A boat with twin hulls.

community: All the people who live in a particular area.

control panels: Panels of electronics that are used to control a certain system.

demolished: Torn down; smashed.

domes: Round roofs that are shaped like half a globe.

donated: Given to a charity, fund, campaign or other cause; contributed.

endangered: In danger or peril; in danger of becoming extinct.

engineering: The science or work of applying scientific knowledge for practical purposes, such as planning and building machinery, roads, buildings or producing plastics.

ethnic: Having to do with a group of people who have the same language and culture and share a way of life.

exhibit: To display to the public.

expansive: Broad; extending far and wide; spacious.

fleet: A large group of ships, cars, trucks or other vehicles moving together or under one management.

founders: People who set up or establish.

gallery: A room, building, or other place for showing or selling works of art.

goals: The purposes toward which effort is directed.

habitats: The places where an animal or plant is normally found.

headquarters: The main office, center or work.

heritage: Something that is handed down from one's ancestors or from the past.

Hispanic: A person of Latin American origin who lives in the U.S. and usually speaks Spanish.

hydrosphere: The watery layer of the earth's surface; includes water vapor.

industrial: Having to do with a branch of business, especially manufacturing.

interactive: Allowing two-way electronic communications (as between a person and a computer).

landmark: A building, hill, tree, or other feature that is familiar and serves as a guide.

lectures: Talks on some subject to an audience or class.

miniature: Very small in size or scale.

momentum: The characteristic of a moving body that is caused by its mass and its motion.

murals: Large pictures or photographs that are painted or put on a wall.

officials: People who hold an office, especially in government.

orphanage: A home for taking care of children without a home.

pavilion: A building or part of a building, often with open sides. It is used for exhibits at a fair or for dancing or similar entertainment.

pouch: A loose fold of skin like a pocket on the belly of the female kangaroo and of certain other female animals.

preceded: To have gone or come before.

prominent: Famous; known by a great many people.

research: Careful, patient study in order to find facts about a subject.

sculptures: Statues or other objects made of carved wood, chiseled stone, cast or welded metal, or modeling clay or wax.

segregation: The practice of forcing people of different racial groups to live apart from each other or to go to separate schools.

solar-energy: Depending on light or energy from the sun.

suites: A group of connected rooms that are used together.

technological: Using science in solving problems.

unique: Being the only one; having nothing like it.

venue: A place where events of a specific type are held.

widespread: Spread, scattered, or happening over a large area.

Webster's New World Children's Dictionary, Second Edition, 1999.

Merriam-Webster for Kids www.wordcentral.com

Learn more about where you live! Use the SHARP students' essays and illustrations as a guide to explore these unique and wonderful places. Make a check mark by the name of each of the interesting places in this book that YOU visit. ✔

○ 4 **America's Black Holocaust Museum**
2233 N. 4th St. 414-264-2500
www.blackholocaustmuseum.org
Tues-Sat: 9am-5pm
Sun: By appointment only
Admission: $5 Adult, $4 Senior, $3 Student

○ 6 **Basilica of St. Josaphat**
2333 S. 6th St. 414-645-5623
www.thebasilica.org
Tours given weekly after 10am.
Sunday Mass except on Holy Days.
Admission: Free

○ 8 **Betty Brinn Children's Museum**
929 E. Wisconsin Ave. 414-390-5437
www.bbcmkids.org
Tues-Sat: 9am-5pm, Sun: noon-5pm
Mon (June-Aug only): 9am-5pm
Admission: $5. See website for discounts

○ 10 **Bradley Sculpture Garden**
2145 W. Brown Deer Rd. 414-276-6840
Tours by appointment
Admission: Varies by event; please call.

○ 12 **Discovery World at Pier Wisconsin**-part 1
500 N. Harbor Dr. 414-765-8623
www.discoveryworld.org
See website for hours and admission.

○ 14 **Discovery World at Pier Wisconsin**-part 2
500 N. Harbor Dr. 414-765-9966
www.pierwisconsin.org
See website for hours and admission.

○ 16 **General Mitchell International Airport**
5300 S. Howell Ave. 414-747-5300
www.mitchellairport.com
Admission: Free (fee for parking)

○ 18 **Grant Park and Seven Bridges Trail**
100 E. Hawthorne Ave. 414-762-1550
www.county.milwaukee.gov
Admission: Free
Enter Grant Park at South Lake Dr. and Park Ave. The trail's main entrance is at the Covered Bridge.

○ 20 **Harley-Davidson Motor Company**
11700 W. Capitol Dr. 877-883-1450
www.harley-davidson.com
Mon-Fri: 9am-1pm
Tours start at regular intervals.
Admission: Free; limited tickets available; contact for restrictions.

○ 22 **Lake Express Ferry**
2330 S. Lincoln Memorial Dr.
866-914-1010
www.lake-express.com
See website for schedule.
Fare: $55-$95 Adult, $55-$85 Senior (66+), $30-$50 Child (5-17), Free Infant (0-4), $65-$130 Vehicle; Above prices do not include tax.

○ 24 **Lopez Bakery**
1100 W. Historic Mitchell St.
414-672-1830.
Mon-Fri: 5am-9pm
Sat-Sun: 6am-9pm
Admission: Bakery and Restaurant

○ 26 **Milwaukee Art Museum**
700 N. Art Museum Dr.
414-224-3200
www.mam.org
Daily: 10am-5pm (10am-8pm Thurs)
Admission: $8 Adult, $6 Senior
$4 Student, Children Under 12 admitted free when accompanied by an adult. See website for discounts.

○ 28 **Milwaukee City Hall**
200 E. Wells St.
www.city.milwaukee.gov
Mon-Fri: 8am-4:45pm
Admission: Free

○ 30 **Milwaukee County Historical Society**
910 N. Old World 3rd St.
414-273-8288
www.milwaukeecountyhistsoc.org
Mon-Fri: 9:30am-5pm
Sat: 10am-5pm, Sun: 1pm-5pm
Admission: Free, donations accepted.

○ 32 **Milwaukee County Zoo**
10001 W. Bluemound Rd.
(Wauwatosa) 414-771-5500
www.milwaukeezoo.org
Mon-Fri: 9am-5pm
Sun & Holidays: 9am-6pm
Admission: $9.75 Adult, $8.75 Senior, $6.75 Child (3-12).
Times and rates vary by season.
See website for discounts.

○ 34 **Milwaukee Journal Sentinel**
333 W. State St. 414-224-2419
www.jsonline.com
Tue-Fri: 9:30am and 1:30pm for groups of 15 to 60.
Admission: Free. Visitors should be in fourth grade or higher.

○ 36 **Milwaukee Public Library**
814 W. Wisconsin Ave.
414-286-3000
www.mpl.org
Mon-Wed: 9am-8:30pm
Thur-Sat: 9am-5:30pm
Sun (Oct-Apr only): 1pm-5pm

○ 38 **Milwaukee Public Museum**
800 W. Wells St. 414-278-2702
www.mpm.edu
Mon-Sat: 9am-5pm
Sun: Noon-5pm
$9 Adult, $6 Child (3-15), $8 Senior. Free admission to residents of Milwaukee County every Monday.
Additional fee for IMAX and specialty exhibits.

○ 40 **Milwaukee Riverwalk**
Downtown Milwaukee along the Milwaukee River
Admission: Free

○ 42 **Milwaukee Trolley Loop**
414-344-6711
www.ridemcts.com/trolley
Memorial Day to Labor Day:
Wed-Thur: 11am-10pm
Fri-Sat: 11am-Midnight
Sun: 11am-6pm Free.

○ 44 **Mitchell Park Horticultural Conservatory "The Domes"**
524 S. Layton Blvd. 414-649-9800
www.countyparks.com
Daily: 9am-5pm
Admission: $5 Adult, $3.50 Child 6-17 or Disabled. See website for discounts.

○ 46 **Pabst Mansion**
2000 W. Wisconsin Ave.
414-931-0808
www.pabstmansion.com
Mon-Sat: 10am-4pm
Sun: Noon-4pm; See website for winter schedule.
Admission: $8 Adult, $7 Senior/ Student, $4 Child (6-17), Children Under 6 Free ($1 additional during Christmas Season)

○ 48 **Pfister Hotel**
424 E. Wisconsin Ave. 414-273-8222
www.pfisterhotel.com
Admission: Hotel and Restaurant.

○ 50 **Rockwell Automation**
1201 S. Second St. 414-382-2000
www.rockwellautomation.com

○ 52 **Saint Joan of Arc Chapel and Marquette University**
442 W. Wisconsin Ave. 414-288-6873
www.marquette.edu/chapel/visit
Mon-Sat: 10am-4pm, Sun: noon-4pm
See website for holiday hours. Call to schedule a free tour. Donations accepted.

○ 54 **Schlitz Audubon Nature Center**
1111 E. Brown Deer Rd.
414-352-2880
www.schlitzauduboncenter.com
Daily: 9am-5pm
Closed major holidays.
Admission: $4 Adult, $2 Child

○ 56 **Time Warner Cable**
1320 N. Martin Luther King Dr.
414-277-4190
www.timewarnerwi.com

○ 58 **United Community Center Centro de la Comunidad Unida**
1028 S. 9th St. 414-384-3100
www.unitedcc.org
Mon-Fri: 7am-8pm.
Sat: 7am-noon. Admission: Free (additional charges for Café and Fitness Center)

Hours and admission prices are subject to change.